转啊转

[日]宫西达也/文·图　彭　懿　周龙梅/译

河北出版传媒集团 ▪ 河北少年儿童出版社

转啊转，轰轰、轰轰转。

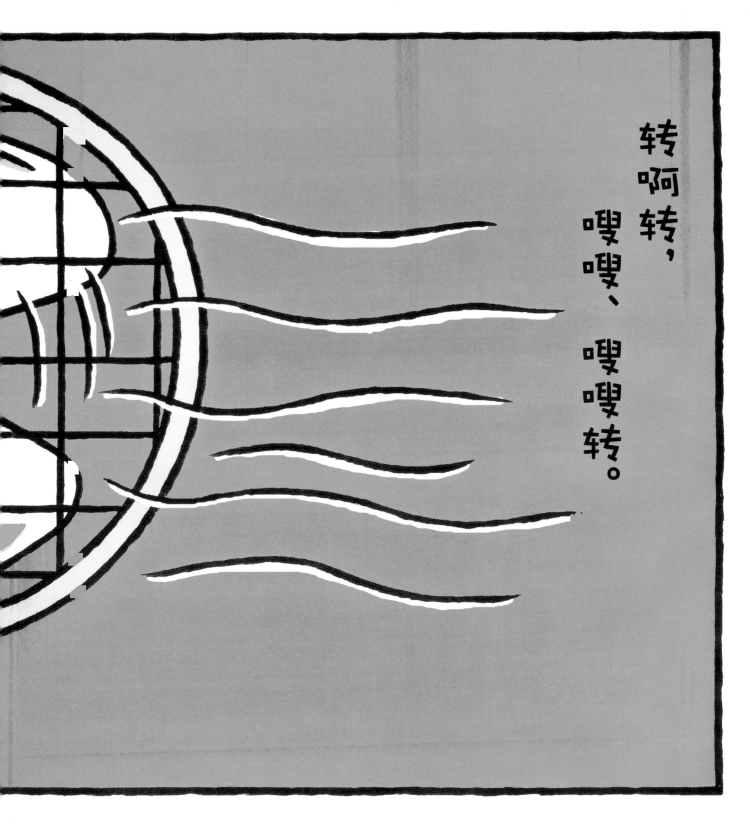

转啊转，骨碌、骨碌转。

转啊转，咔嚓、咔嚓转。

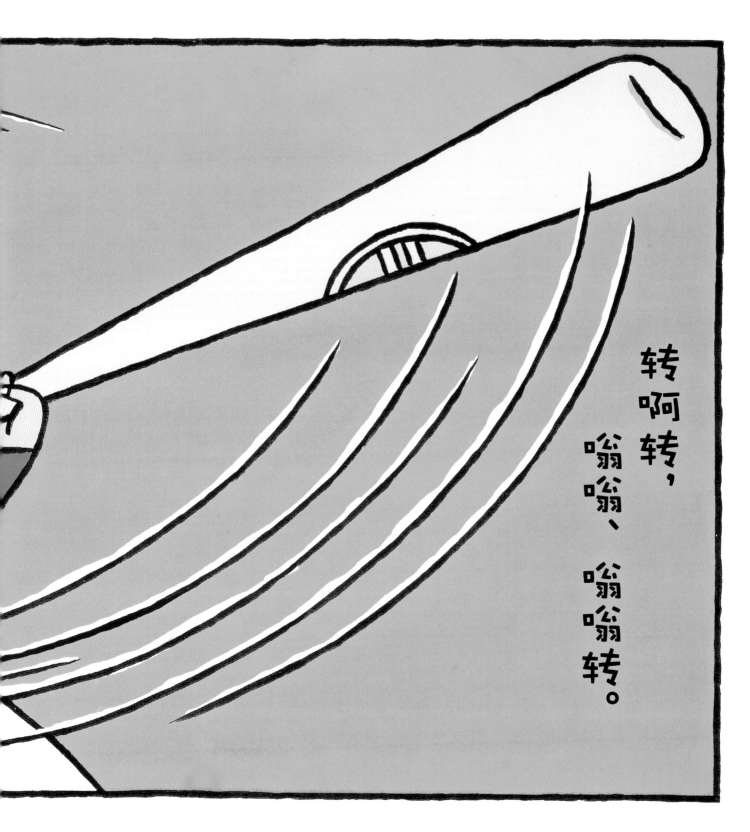

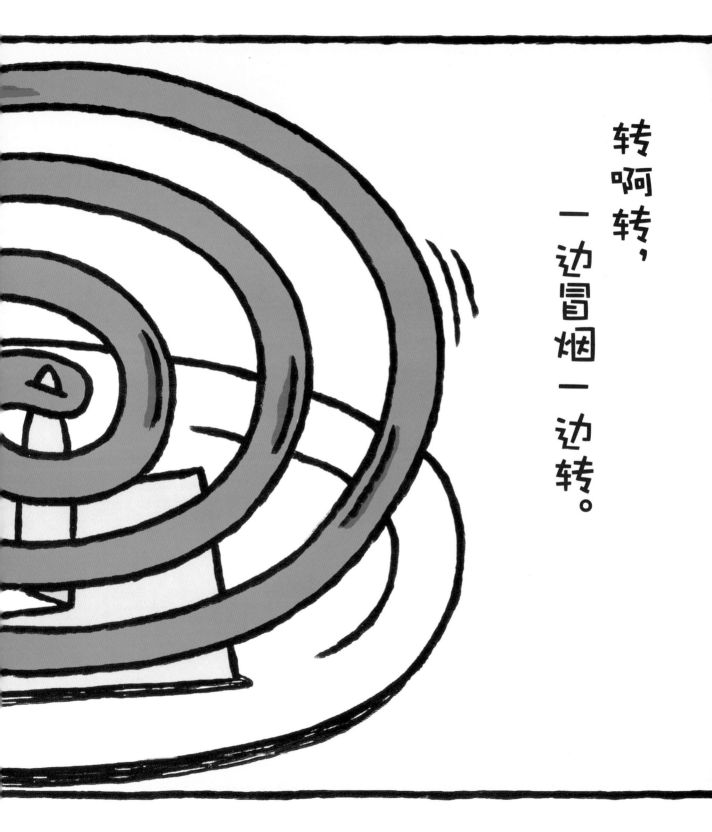

转啊转，一边冒烟一边转。

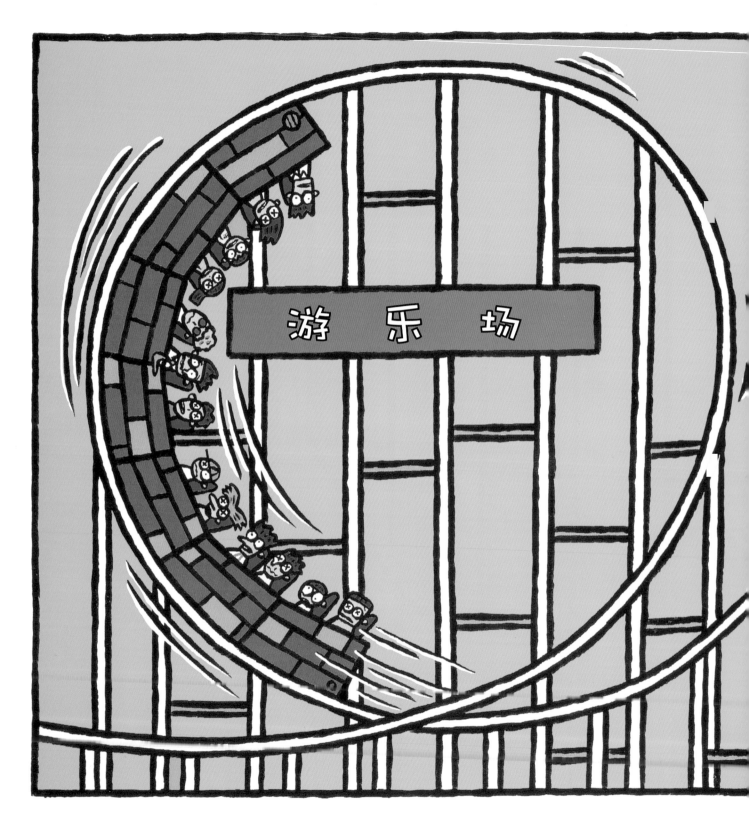

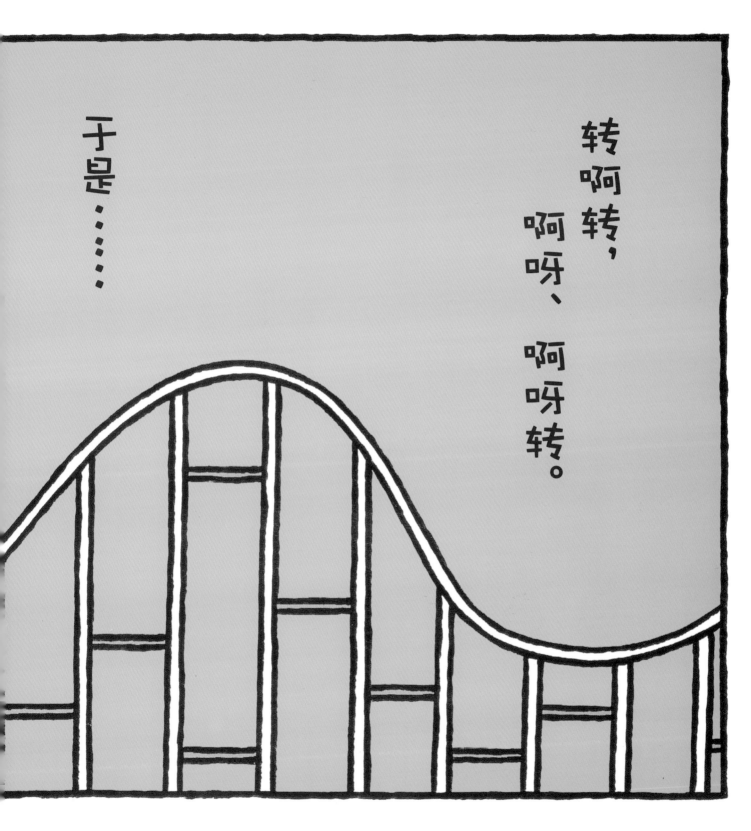

我的眼睛转啊转，滴溜、滴溜、滴溜溜转。

骨碌骨碌骨碌

　　我去寻找转啊转。

　　来到街上，我一边转圈子，一边寻找。理发店前的招牌，骨碌骨碌骨碌。游乐园的大转盘，骨碌骨碌骨碌。天上的老鹰，骨碌骨碌骨碌。直升机的螺旋桨、女孩子跳的绳子、男孩子玩的悠悠球，骨碌骨碌骨碌。

　　回到家里，衬衫和裤子在洗衣机里、烘干机里骨碌骨碌骨碌。八音盒的发条骨碌骨碌骨碌。还有，地球载着大家在慢慢地转。可是……谁也没看到过地球在转。没有看到过，但是大家都相信。没看就相信。看不到也相信。

　　六月，我到兵库县的托儿所转了一圈，去给孩子们读我的书，还一边讲故事一边演木偶剧。当我去T托儿所的时候，有一个坐在最前排、眼睛亮亮的女孩子，看着看着，突然对我说："我喜欢宫西达也叔叔！"我吓了一跳，但很开心，心里热乎乎的。喜欢一个人的心情，被人说喜欢的心情，肉眼看不到，但却是非常美好的……

　　钟表的时针在骨碌骨碌骨碌。哎呀！不好了！交稿的时间到了！得赶快工作了。我的眼珠在骨碌骨碌骨碌。

宫西达也

宫西达也

　　1956 年出生于日本静冈。日本大学艺术学部美术专业毕业。绘本作品有《我是霸王龙》《好饿的小蛇》《你看起来好像很好吃》等。